Clara, Alix, Margaux, Manon, Malcie

ISBN 978-2-211-02964-3

Loi numéro 49 956 du 16 juillet 1949 sur les publications
destinées à la jeunesse : juin 1996
Dépôt légal : juillet 2007
Imprimé en France par Pollina s.a., 85400 Luçon - n° 44000

Sylvie Auzary-Luton

# Loup y es-tu ?

kaléidoscope
lutin poche de l'école des loisirs
11, rue de Sèvres, Paris 6e

Promenons-nous dans les bois,
pendant que le loup n'y est pas.

Promenons-nous dans les bois,
pendant que le loup n'y est pas.
Si le loup y était, il nous mangerait.
Mais comme il n'y est pas,
il ne nous mangera pas.

Loup, y es-tu ?

# OUI !

Que fais-tu ?

# JE METS MA CULOTTE !

Promenons-nous dans les bois,
pendant que le loup n'y est pas.
Si le loup y était, il nous mangerait.
Mais comme il n'y est pas,
il ne nous mangera pas.

Loup, y es-tu ?

# OUI !

Que fais-tu ?

# JE METS MA CHEMISE !

Promenons-nous dans les bois,
pendant que le loup n'y est pas.
Si le loup y était, il nous mangerait.
Mais comme il n'y est pas,
il ne nous mangera pas.

Loup, y es-tu ?

# OUI !

Que fais-tu ?

LAPIN

# JE METS MON PANTALON !

Promenons-nous dans les bois,
pendant que le loup n’y est pas.
Si le loup y était, il nous mangerait.
Mais comme il n’y est pas,
il ne nous mangera pas.

Loup, y es-tu ?

OUI !

Que fais-tu ?

# JE METS MA VESTE !

Promenons-nous dans les bois,
pendant que le loup n'y est pas.
Si le loup y était, il nous mangerait.
Mais comme il n'y est pas,
il ne nous mangera pas.

Loup, y es-tu ?

OUI !

Que fais-tu ?

# JE METS MES LUNETTES !

Promenons-nous dans les bois,
pendant que le loup n'y est pas.
Si le loup y était, il nous mangerait.
Mais comme il n'y est pas,
il ne nous mangera pas.

Loup, y es-tu ?

# OUI !

Que fais-tu ?

# JE SORS !

# HÉ ! ATTENDEZ…

HISTOIRES
de
Loups
a raconter
aux enfants